陈木城

历任教师、记者、主任、校长、教育局督学、教育局视导、小学课本主编、农场总经理，现任“台湾儿童文学学会”理事长、“台北县环境永续发展协会”荣誉理事长、“台湾创意游学协会”理事长、“台湾老大人活力发展协会”理事长、“台湾电子书协会”理事、智慧桥教育科技公司执行长。

喜欢生态田野、语文阅读、文学创作，出版了童话、儿歌、诗集、图画书、诗论、翻译改写、生态环境等共三百余册，曾获得文学及教育奖项二十余种。

一个无可救药的创意先锋，永远有许多秘密的计划和梦想。

邱承宗

自幼即是大人眼中的问题儿童，脑袋里充满各式各样的幻想，常常沉溺其中地窃窃嬉笑或喃喃自语，因此，涂鸦成为唯一的宣泄出口。几经人生波折，四十岁过后，发现自己可以用画笔诠释生命，至今创作不辍。

喜爱昆虫，更热爱追寻昆虫生态的奥秘，如此的兴趣对他而言，是幸运也是幸福。目前最大的心愿，除了能随心所欲地描绘昆虫、为昆虫摄影、继续进行昆虫生态调查以外，还可以毫无顾忌地奔驰在幻想空间。

作品曾获“台北市优良图书奖”“最佳儿童及少年科学类图书金鼎奖”“丰子恺儿童图画书奖”“第三届少年中国少儿文化作品评选绘本类金奖”等多种奖项，并两度入选意大利博洛尼亚童书原画展非文学组，他的作品《地面地下》《我们去钓鱼》《池上池下》《我们的森林》《你睡着了吗？》大受好评。

陈木城/文　邱承宗/图

希望出版社

住在乡下真好，
有花，有树，
还有许多小草。
乡下很美、很安静，
只是，有一点儿担心……

哇——

我担心的就是

天上的老鹰！

救命呀！

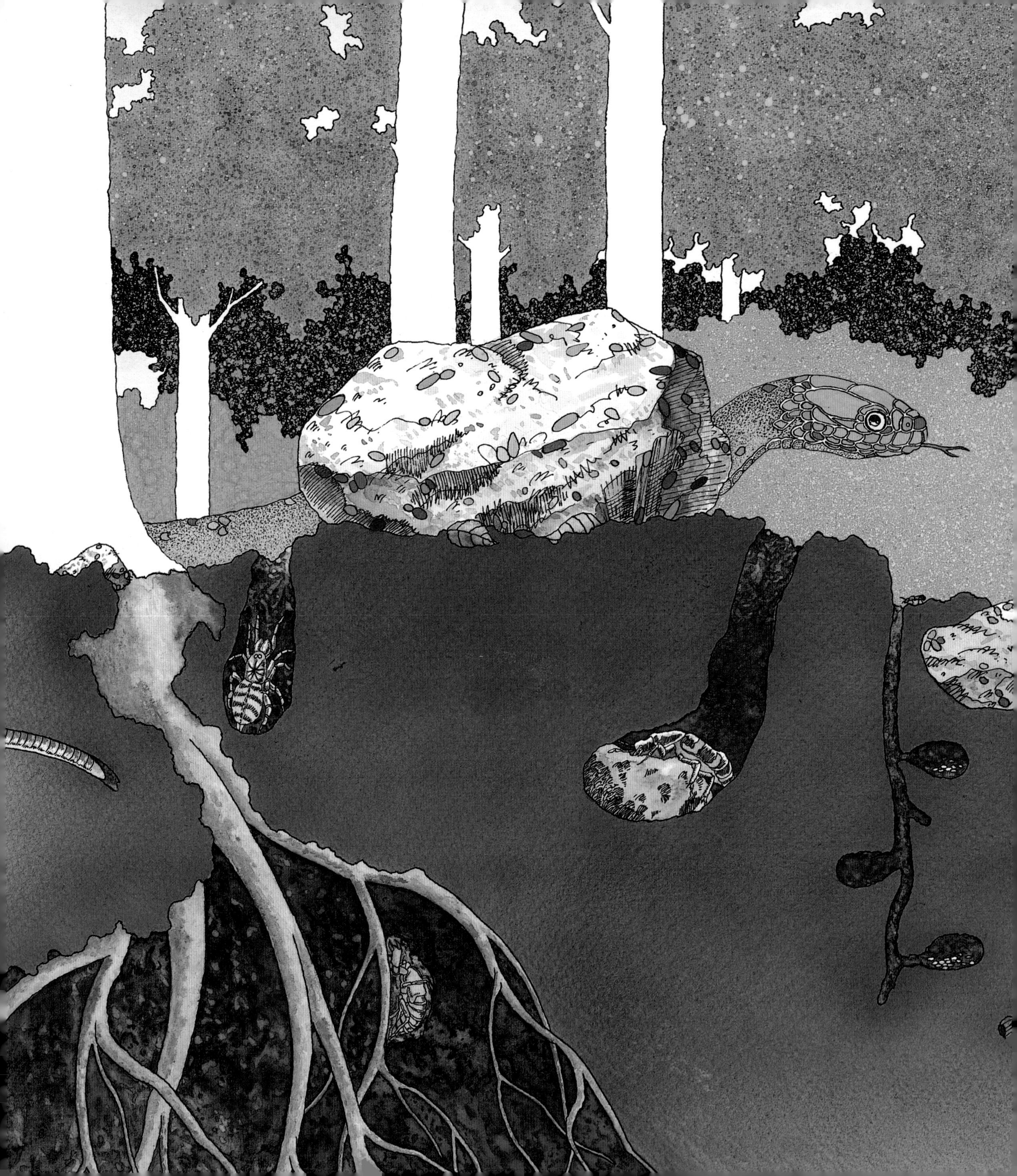

赶快冲——

冲——冲——

躲进我们的

洞洞里。

看看老鹰来了没有？

啊！是蛇！

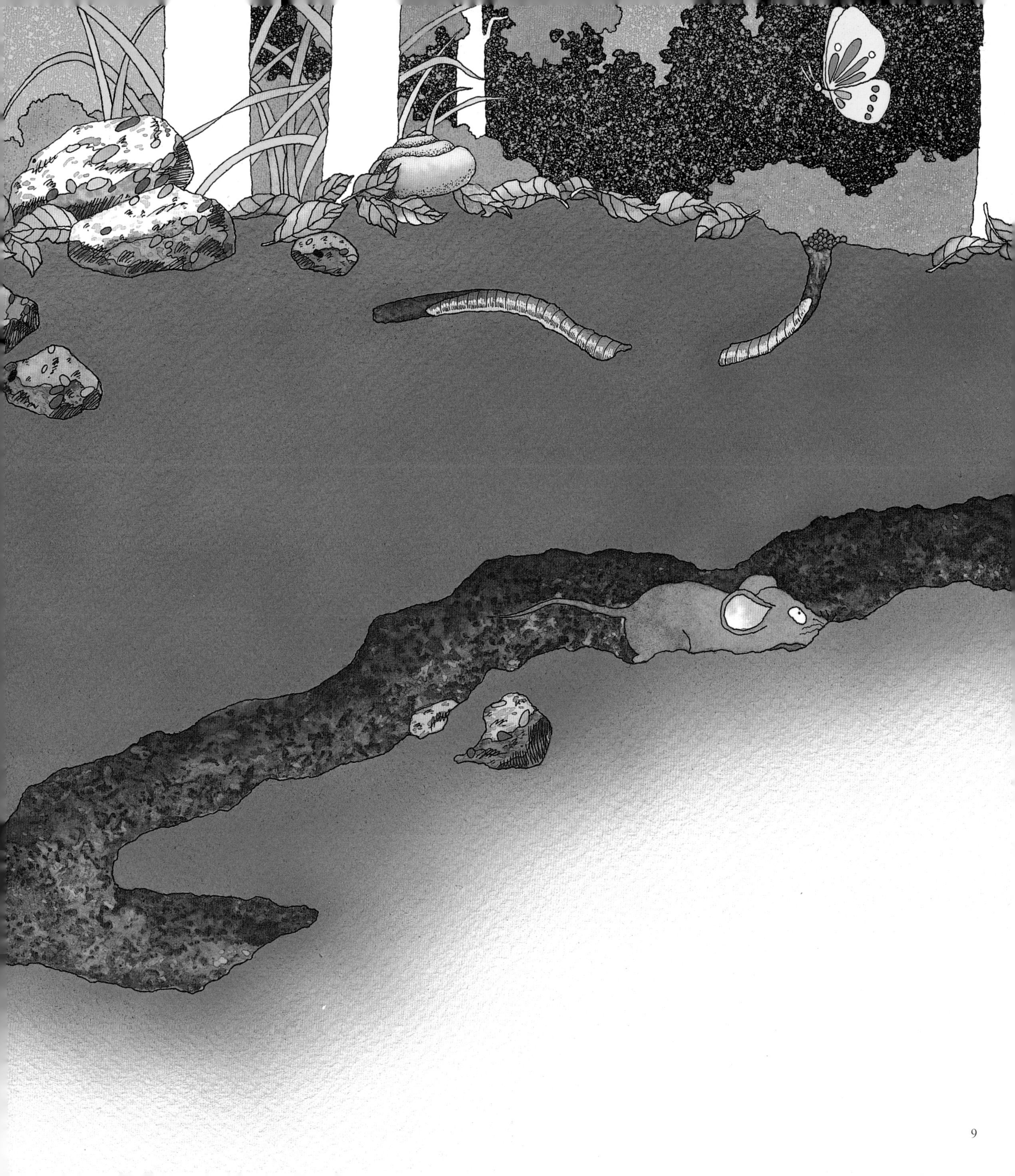

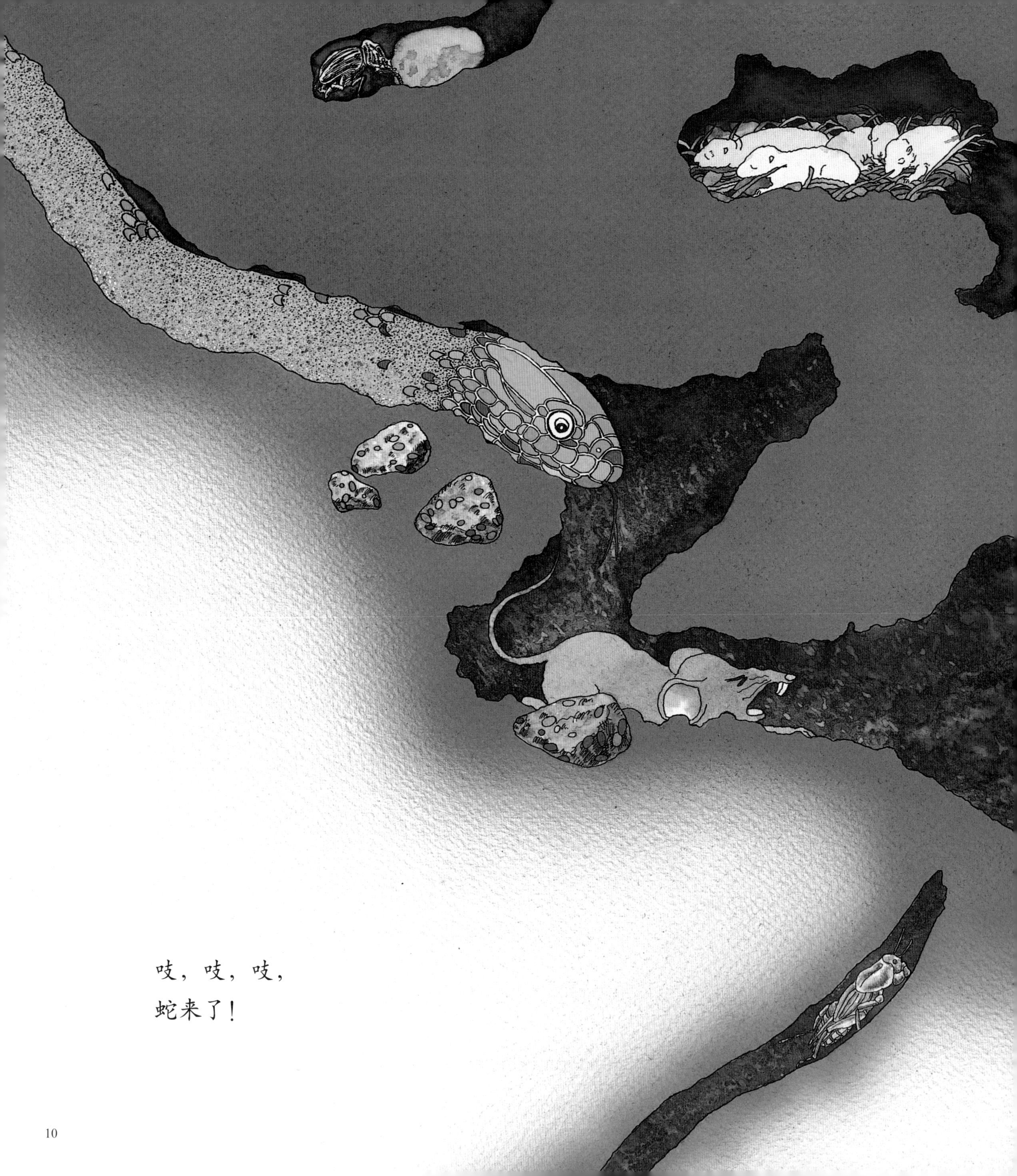

吱，吱，吱，
蛇来了！

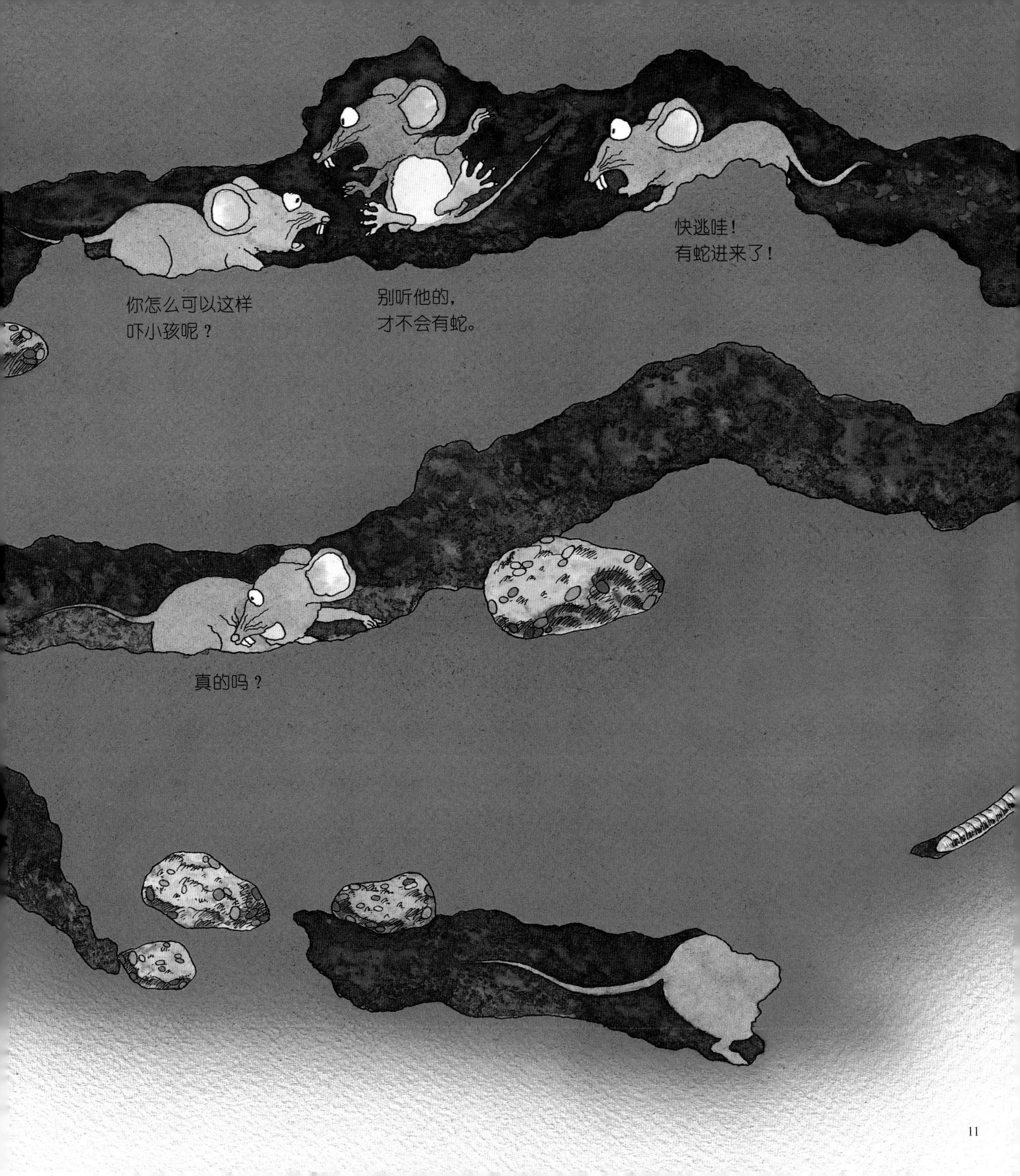
快逃哇！
有蛇进来了！
别听他的，
才不会有蛇。
你怎么可以这样
吓小孩呢？
真的吗？

哇，好大的洞！
人类为什么要挖洞呢？
他们也怕老鹰吗？

我现在才知道，
不是只有老鼠
才会打洞。

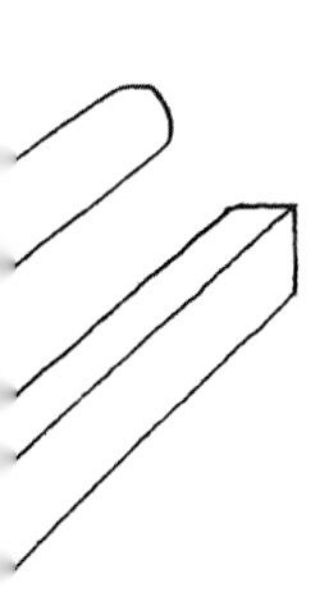

人也会在地底下盖房子呢！

我现在才知道，
不是只有老鼠才住在地下。

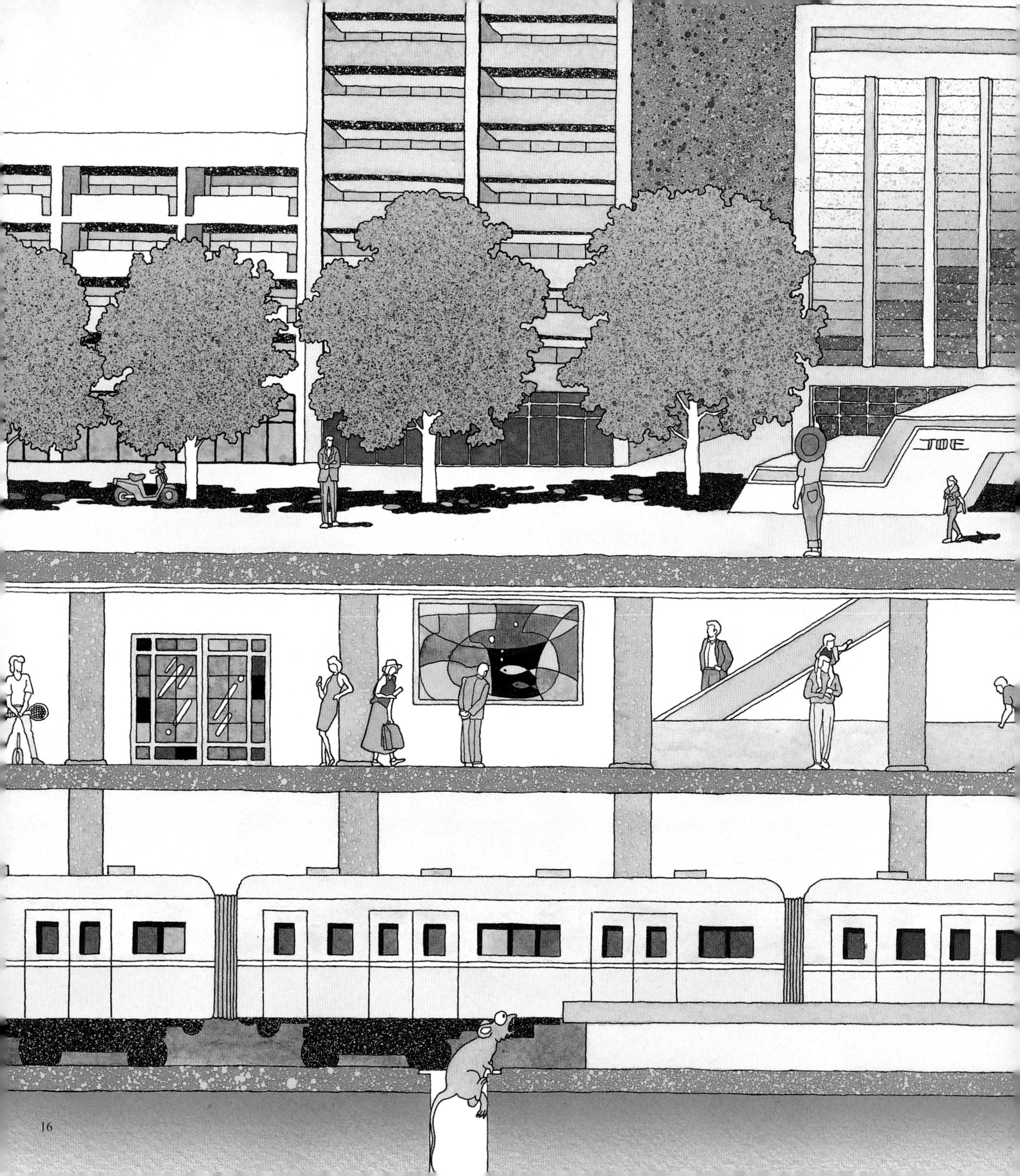
JOE

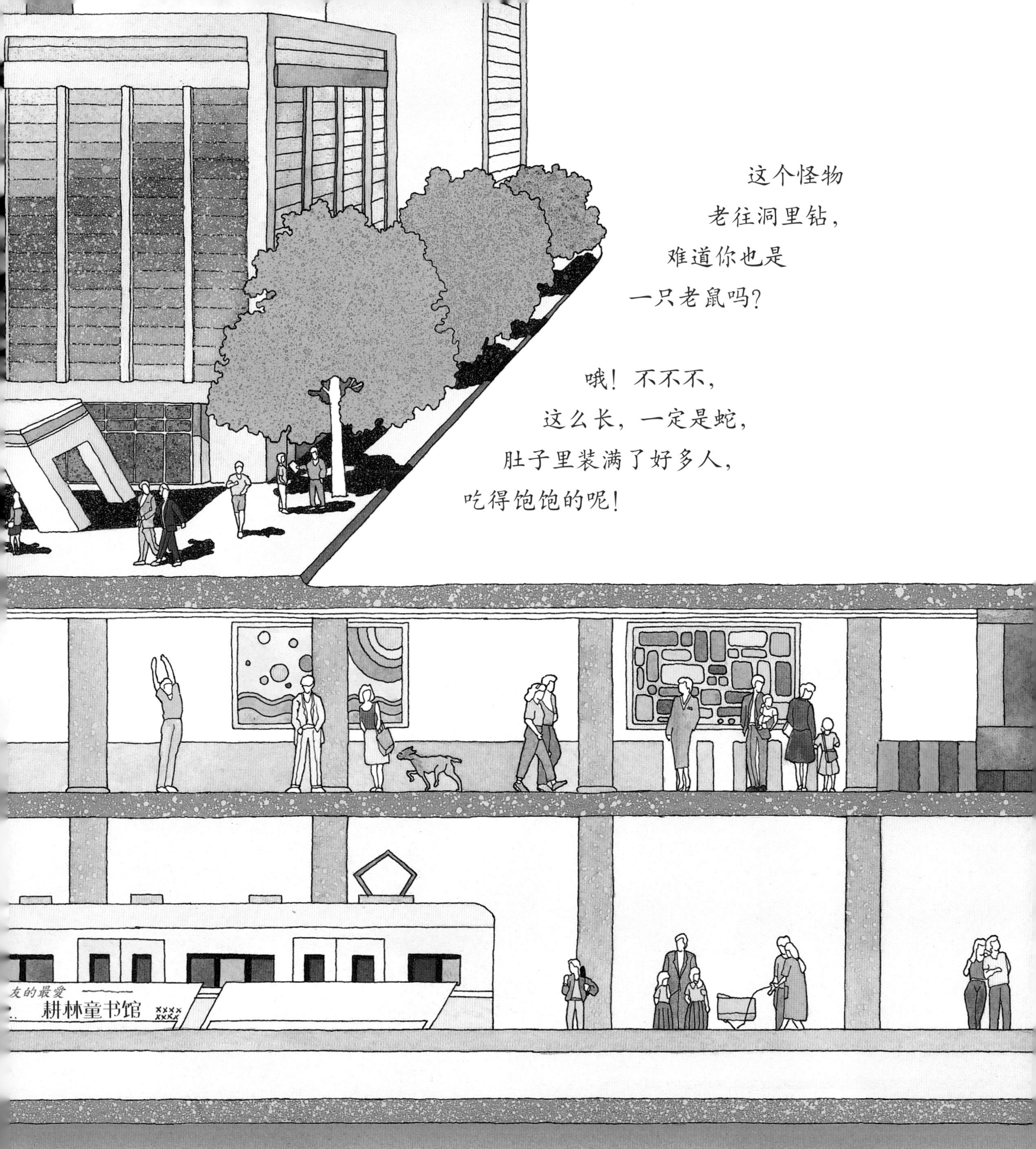

这个怪物
老往洞里钻，
难道你也是
一只老鼠吗？

哦！不不不，
这么长，一定是蛇，
肚子里装满了好多人，
吃得饱饱的呢！

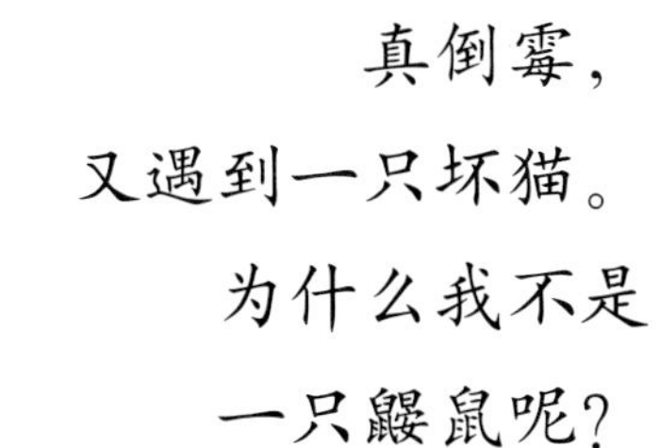

真倒霉，
又遇到一只坏猫。
为什么我不是
一只鼹鼠呢？

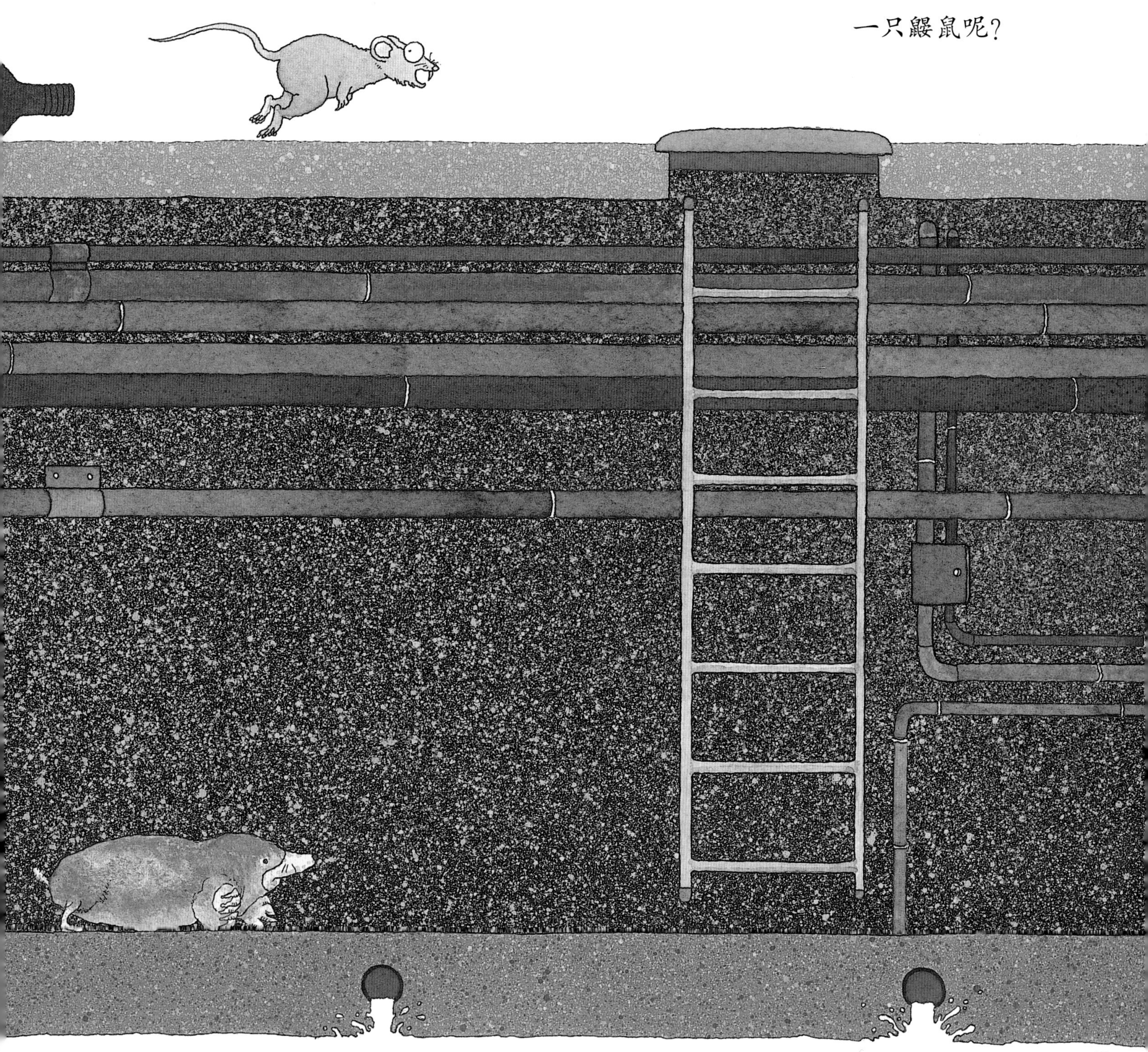

住在地下
真好，
风吹不到，
雨打不着，
一年到头
都很凉快。

住在地下真好，
一边挖呀挖地道，
一边大餐吃到饱。
你看，
他们个个都吃得圆圆胖胖。

小鸟在天上飞，飞，飞；
鱼儿在水里游，游，游；
鼹鼠在地底下挖，挖，挖。

天空是鸟的家，
海洋是鱼的家，
人们住在地面上，
许许多多的生物住在地下。

世界到底有多大，
让大家都住得下？

图书在版编目（CIP）数据

大洞洞小洞洞 / 陈木成文；邱承宗图. -- 太原：希望出版社, 2016.8
ISBN 978-7-5379-7485-1

Ⅰ. ①大… Ⅱ. ①陈… ②邱… Ⅲ. ①儿童故事－图画故事－中国－当代 Ⅳ. ①I287.8

中国版本图书馆CIP数据核字(2016)第198334号

大洞洞小洞洞
作者：图 / 邱承宗 文 / 陈木城
本书简体中文版权由小鲁文化事业股份有限公司授权出版

著作权合同登记号　图字：04-2016-018

扫一扫，看导读

大洞洞小洞洞　陈木城/文　邱承宗/图

责任编辑　邢　龙
策划监制　敖　德
版权引进　王晓薇
特约编辑　梁墨涵　火棘果子　霍笛文
出　　版　希望出版社
地　　址　山西省太原市建设南路21号　030012
印　　刷　北京盛通印刷股份有限公司
发　　行　全国新华书店
开　　本　880毫米×1230毫米　1/16
印　　张　2.25
版　　次　2016年9月第1版
印　　次　2016年9月第1次印刷
书　　号　ISBN 978-7-5379-7485-1
定　　价　35.00元